Titel der französischen Ausgabe:
L'imagerie des animaux
ISBN 3-89717-361-1
*Made in France by
Partenaires-Livres®*

Dein buntes Wörterbuch der Tiere

Idee und Text:
Emilie Beaumont

Illustrationen:
Marie-Christine Lemayeur, Bernard Alunni

Übersetzung aus dem Französischen
von Claudia Jost

FLEURUS VERLAG

DIE HENNE

Den ganzen Tag pickt die Henne Körner und kleine Steinchen. Sie mag auch Regenwürmer. Ihre Jungen, die Küken, bleiben immer in ihrer Nähe.

Die Henne brütet die Eier aus, bis die Küken schlüpfen.

Das Küken bricht die Schale mit seinem Schnabel auf.

DER HAHN

Der Hahn ist der Mann der Henne. Er ist größer und kräftiger als die Henne und spaziert stolz herum. Er ist der Chef des Hühnerhofs.

Bei Sonnenaufgang kräht der Hahn und weckt den Bauernhof.

Der Hahn, die Henne und das Küken schlafen im Hühnerstall.

DIE ENTEN

Der Entenvater ist der Erpel. Er lebt mit der Entenmutter und ihren Jungen, den Entenküken, am Ufer von Gewässern.

Die Entenmutter lehrt ihre Jungen zu schwimmen.

Geschickt zieht das Entenküken Regenwürmer aus dem Boden.

DIE GÄNSE

Der Vater heißt Gänserich, die Jungen Gössel. Mit ihren Schnäbeln können sie fest kneifen, deshalb muss man vorsichtig sein.

Am Ende des Sommers ziehen die Wildgänse in wärmere Länder.

Auf Bauernhöfen werden die Gänse häufig in Herden gehalten.

DIE KANINCHEN

Die Kaninchen auf dem Bauernhof ernähren sich von Heu, Karotten und Körnern. In der freien Natur fressen sie vor allem Gras.

Auf dem Bauernhof leben die Kaninchen im Kaninchenstall.

Einige Kaninchen haben sehr lange und ganz weiche Haare.

DIE TRUTHÄHNE

Die Truthähne oder Puten sind die größten Vögel des Hühnerstalls: Der Papa heißt Truthahn, die Mama Truthenne und das Junge Truthahnküken.

Mit seinen Schwanzfedern kann der Truthahn ein Rad schlagen.

Der Truthahn gibt glucksende Laute von sich.

DIE KÜHE

Die Kühe werden wegen ihres Fleischs und ihrer Milch gehalten. Damit sie das ganze Jahr über Milch geben, müssen sie ein Kalb geboren haben.

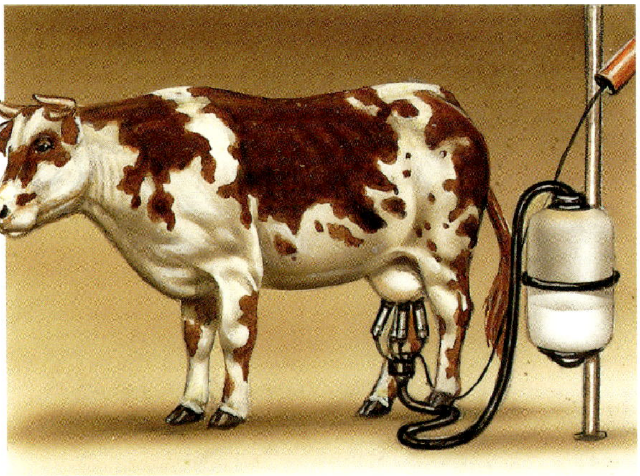

Heutzutage werden die Kühe mit einer Melkmaschine gemolken.

Je nach Rasse sind die Kühe unterschiedlich gefärbt.

DIE STIERE

Der Stier oder Bulle ist der Mann der Kuh und der Vater des Kalbs. Er ist sehr kräftig. Häufig lebt er allein auf seiner Weide.

Kühe, Kälber und Stiere fressen und schlafen im Stall.

Für Stierkämpfe werden meist schwarze Stiere ausgewählt.

DIE PFERDE

Mama Pferd ist die Stute, ihr Junges heißt Fohlen. Lange Zeit wurde das Pferd bei der Feldarbeit eingesetzt.

Früher halfen starke Pferde dem Bauern beim Pflügen.

Dieses schlankere und leichtere Pferd nimmt an Wettbewerben teil.

DIE ESEL

Mama Esel ist die Stute, ihr Junges das Eselfohlen. Esel sind kleiner als Pferde und haben lange Ohren.

Der Esel ist sehr kräftig und kann schwere Lasten tragen.

Er ist stur: Wenn er nicht will, bewegt er sich nicht von der Stelle.

DAS SCHWEIN

Papa Schwein ist der Eber, die Mama die Sau und die Jungen sind die Ferkel. Alle zusammen werden aber auch Schweine genannt.

Die Sau säugt alle Ferkel gleichzeitig.

Nicht alle Schweine sind rosa, einige haben auch schwarze Flecken.

DIE ZIEGEN

Das Ziegenjunge heißt Zicklein, der Vater ist der Ziegenbock. Ziegen fressen gerne Blumen und Gräser.

Das Schreien der Ziegen nennt man Meckern.

Die Böcke haben mächtigere Hörner als die Weibchen.

DIE SCHAFE

Mama Schaf ist das Mutterschaf, die Jungen sind die Lämmer. Die ganze Familie frisst Gras und Blätter.

Der Schafbock hat Hörner. Er ist der Mann von allen Mutterschafen.

Wenn man die Schafe schert, bekommt man Wolle.

DIE WILDSCHWEINE

Mama Wildschwein wird Bache genannt, ihre Jungen sind die Frischlinge. Das Junge ist gut an seinem gestreiften Fell zu erkennen.

Wildschweine gehen nachts auf Futtersuche.

Mit ihren großen Eckzähnen können sie sich gut verteidigen.

TIERE DES BAUERNHOFS

Hier siehst du alle Tiere des Bauernhofs. Teste dein Wissen: Nenne sie und ihre Jungen bei ihrem Namen!

Welches Tier macht Kikeriki?
Und welches Tier macht Muh? Quak? Mäh? Glucks?

DIE WÖLFE

Wölfe leben in den Wäldern kälterer Gebiete und in bestimmten Gebirgen. Die kleinen Wölfe heißen Welpen.

Im Winter wird das Fell des Wolfs heller, bei einigen sogar weiß.

Der Wolf ist ein Nachttier. Sein Geheul ist Furcht erregend.

DIE FÜCHSE

Mama Fuchs ist die Fähe, ihr Nachwuchs sind die Fuchswelpen. Sie leben in Wäldern, im Gebirge oder in sehr kalten Gebieten.

Manche Füchse vergrößern einen Kaninchenbau und ziehen dort ein.

Auf dem Land wildert der Fuchs gerne in Hühnerställen.

DIE HIRSCHKUH

Die Hirschkuh ist die Mama des Hirschkalbs, der Papa ist der Hirsch. Das Junge wird im Frühling geboren. Hirschkühe haben kein Geweih.

Bei der Geburt hat das Hirschkalb ein weiß getupftes Fell.

Mit einem Jahr beginnt das Geweih zu wachsen.

DER HIRSCH

Weil er sein Geweih wie eine Krone auf dem Kopf trägt, wird der prächtige und majestätische Hirsch auch König des Waldes genannt.

Jeden Winter wirft er das Geweih ab. Es wächst bald wieder nach.

Die Hirsche kämpfen gegeneinander, um ihr Revier zu verteidigen.

DAS EICHHÖRNCHEN

Das kleine Eichhörnchen lebt auf den Bäumen des Waldes. Es klettert flink die Baumstämme entlang oder springt von Ast zu Ast.

In einer Astgabel baut es das Nest für seine Jungen.

Es knabbert gerne Eicheln und Haselnüsse.

DAS WIESEL

Das Wiesel ist klein, hat einen lang gestreckten Körper, einen langen Hals und einen kleinen Kopf. Es sucht ständig nach Beute.

Manchmal frisst das Wiesel auch Vogeleier.

Es jagt Maulwürfe, vor allem aber Ratten und Mäuse.

DER ILTIS

Der Iltis ist größer als das Wiesel und sondert bei Gefahr einen üblen Geruch ab. Wenn er nicht jagt, verkriecht er sich in seinem Bau.

Er ist ein guter Schwimmer und frisst gerne Fische.

Oft bricht er in Hühnerställe ein und richtet großen Schaden an.

DER DACHS

Der Dachs gehört zur selben Familie wie das Wiesel und der Iltis, ist aber deutlich größer. Er ist sehr reinlich und putzt oft seinen Bau.

Tagsüber schläft der Dachs in seinem Bau, nachts jagt er.

Er ernährt sich von Regenwürmern, Fröschen und Eidechsen.

DER BÄR

Der Bär ist ein Einzelgänger. Wenn er sich auf seine Hinterbeine stellt, ist er riesig groß. Seine Krallen sind sehr stark.

Er mag gerne Honig, den er in hohlen Baumstämmen aufstöbert.

Er ist ein guter Angler und fängt mit Leichtigkeit Fische.

DER PANDA

Der Panda sieht aus wie ein Bär. Er lebt häufig allein in den Bambuswäldern von China. Die meiste Zeit verbringt er mit Fressen.

Er ernährt sich hauptsächlich von Bambussprossen.

Beim Klettern in den Bäumen sind die Jungen richtige Akrobaten.

TIERE DES WALDES

Schau genau hin und versuche die Tiere wiederzuerkennen.
Teste dein Wissen und beantworte die Fragen auf der nächsten Seite.

Wer trägt ein Geweih auf seinem Kopf? Wie heißen die Wildschweinjungen? Wer frisst gerne den Honig der Bienen? Wer knabbert Eicheln und Haselnüsse?

DIE MAUS UND DIE RATTE

Mäuse sind kleiner als Ratten. Manchmal kommen sie auch ins Haus. Sie leben in Kolonien und sind Allesfresser.

Mäuse und Ratten bekommen zahlreiche Jungen auf einmal.

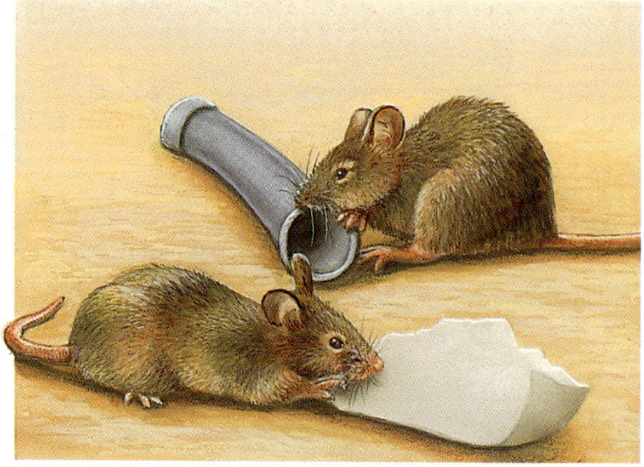

Mäuse können sogar Plastikrohre und Papier annagen.

DIE FELDMAUS

Die kleine Feldmaus gehört zur Familie der Wühler und lebt auf den Feldern. Sie ernährt sich von Pflanzenwurzeln und Rinde.

In ihrem Bau sammelt sie Vorräte für den Winter.

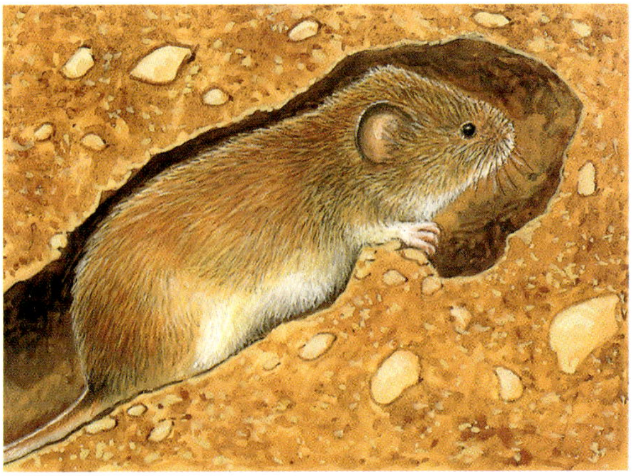

Um ihren Bau herum gräbt sie zahlreiche Gänge.

DIE SPITZMAUS

Sie gehört wie der Igel zu den Insektenfressern. Sie hat eine lang gestreckte Schnauze. Ohne Schwanz wird sie oft nicht größer als 3,5 cm.

Sie hat einen großen Appetit und frisst vor allem Insekten.

Bei Wanderungen klammern sich die Jungen aneinander fest.

DER IGEL

Der Igel hat ein Stachelkleid und ist häufig in Gärten anzutreffen. Den Winter über schläft er in einem Erdloch unter welkem Laub.

Bei Gefahr rollt er sich zu einer Kugel zusammen.

Schlangengift macht ihm nichts. Er greift sogar Kreuzottern an.

DAS WILDKANINCHEN

Wildkaninchen sind für die Landwirtschaft sehr schädlich, weil sie sich rasch vermehren. Ein Weibchen bekommt im Jahr bis zu 50 Junge.

Die Wildkaninchen leben in einem Bau.

In Getreidefeldern richten die Kaninchen große Schäden an.

DER HASE

Der Hase ähnelt dem Kaninchen, aber seine Hinterbeine sind länger und seine Ohren größer. Außer in der Paarungszeit lebt er allein.

Bei Gefahr läuft er schnell davon. Er kann dabei 80 km/h erreichen.

Er lebt in einer einfachen Grube, der Sasse, im Gras.

DER MAULWURF

Der Maulwurf ist fast blind. Auf der Suche nach Regenwürmern gräbt er mit seinen großen Schaufelhänden ständig unterirdische Gänge.

Der Wurf von 2 bis 5 Jungen liegt in einem weichen Nest.

Am Ende des Gangs türmt er die Erde zu Maulwurfshügeln auf.

DIE EIDECHSE

Die Eidechse ist mit den Schlangen verwandt. Sie sonnt sich gerne auf Steinen, denn sie braucht viel Wärme … aber nicht zu viel!

Die meisten Eidechsen schlüpfen aus Eiern.

Wenn sie einen Teil des Schwanzes verliert, wächst er wieder nach.

DIE SCHNECKE

Der Körper der Schnecke ist ganz weich. Aber sie ist durch ein festes Gehäuse geschützt, das mit ihr wächst.

Die Nacktschnecke ist eine Schneckenart ohne Haus.

Bei Regen kommt die Schnecke aus ihrem Haus.

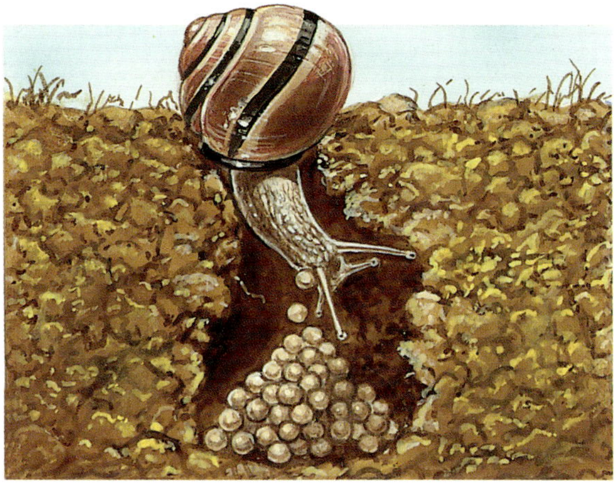

Die Schnecke legt ihre kleinen weißen Eier in der Erde ab.

DIE SCHMETTERLINGE

Es gibt sie zu Millionen, kleine und große, in verschiedenen Farben, je nach Art. Man findet sie überall.

Schmetterlinge legen winzig kleine Eier ab, aus denen Raupen schlüpfen. Aus ihnen werden nach mehreren Verwandlungen neue Schmetterlinge.

TIERE AUF FELDERN UND WIESEN

Schau genau hin und nenne die Tiere beim Namen. Dann versuche die Fragen auf der nächsten Seite zu beantworten.

Wer geht gerne bei Regen spazieren? Nenne ein Insekt mit Namen.
Wer gräbt unterirdische Gänge? Wer sonnt sich gern?

DIE FRÖSCHE

Frösche leben an Teichen und Bächen, in denen sie sich auch vermehren. Manche können aber auch in trockenen Gegenden überleben.

Die Froschjungen heißen Kaulquappen.

Bei Gefahr springen die Frösche weg.

DIE FLEDERMAUS

Sie kann zwar fliegen, ist aber kein Vogel. Sie ist so groß wie eine kräftige Maus und lebt in Kolonien in Höhlen oder hohlen Bäumen.

Am Tag schläft die Fledermaus mit dem Kopf nach unten hängend.

Sie geht nachts auf Nahrungssuche und fängt Insekten im Flug.

DER BIBER

Mit seinen kräftigen Zähnen zerlegt er Baumstämme für seinen Bau.

Der Biber fällt ganze Bäume, indem er den Stamm durchnagt.

Aus Schlamm und Ästen baut er Staudämme.

DIE BISONS

Früher gab es die amerikanischen Bisons zu Millionen, heute sind sie geschützt. Sie können 60 km/h schnell laufen.

Während der Paarungszeit kämpfen die Männchen miteinander.

Bisons können sich Kälte und extremer Hitze anpassen.

DER WASCHBÄR

Dieses kleine Tier gibt es nur in Amerika. Der Waschbär ist ein großer Vielfraß, der sogar in Häuser eindringt, um nach Nahrung zu suchen.

Er wäscht sein Futter, bevor er es frisst.

Er ist ein ausgezeichneter Kletterer, der Vogeleier stiehlt.

DIE OTTER

Der Fischotter lebt an Teichen, während der Seeotter die meiste Zeit im Wasser zwischen den Algen zubringt.

Der Seeotter benutzt zum Öffnen von Muscheln Kieselsteine.

Er taucht, um seine Lieblingsspeise, Fische, zu fangen.

DIE WILDENTEN

Wildenten leben auf Teichen, Seen und Flüssen – in der freien Natur oder in Parks inmitten von Städten. Sie können sich sehr gut anpassen.

Im Herbst fliegen sie in kleinen Schwärmen in wärmere Länder.

Mama Ente versteckt ihre Jungen im Schilf.

DER GRAUREIHER

Der Graureiher hat große Füße, einen langen Hals und einen langen Schnabel. Er lebt am Ufer von Gewässern.

Beim Fangen von Fischen verharrt er regungslos, bis sich ein Fisch nähert. Er greift seine Beute und tötet sie mit einem Schnabelhieb.

DIE GRASMÜCKE UND DER EISVOGEL

Der Eisvogel ernährt sich vor allem von Fischen. Die Grasmücke dagegen frisst Insekten. Sie singt aus Leibeskräften.

Der Eisvogel taucht blitzschnell, um Fische zu fangen.

Einige Grasmücken bauen ihr Nest im Schilf.

DER FASAN

Die schönsten Farben hat das Männchen. Der Fasan baut sein Nest in einem kleinen, mit Blättern ausgelegten Erdloch.

In Freiheit lebt der Fasan auf Feldern und im Unterholz.

Auf dem Bauernhof wird er mit Hühnern und Enten gehalten.

DAS REBHUHN

Das Rebhuhn baut sein Nest in Mulden am Feldrain. In der Erntezeit verlässt es das Nest mit seinen Jungen.

Die Rebhuhnjungen fangen gerne Ameisen.

Das Männchen hilft dem Weibchen bei der Aufzucht der Jungen.

DIE TAUBE

Die Taube lebt vor allem in der Stadt, in Gärten und auf Plätzen. Sie hat sich sehr gut an die Nähe des Menschen gewöhnt.

Sie schläft in einem Taubenschlag und gibt gurrende Laute von sich.

Die Brieftaube findet ihren Schlag über viele Kilometer hinweg wieder.

DIE MÖWEN

Diese Meeresvögel leben zwischen Klippen und Felsen.
Mit ihrem Kreischen verständigen sie sich untereinander.

Möwen sind weit verbreitet. Häufig fliegen sie in Scharen um die Schiffe, die vom Fischfang zurückkehren, um ein paar Fische zu erbeuten.

DAS ROTKEHLCHEN

Im Frühling ist der Gesang des Rotkehlchens schon am frühen Morgen zu hören. Es singt hoch oben auf einem Ast.

Das Rotkehlchen baut sein Nest in Bodennähe unter Gebüschen.

Es ernährt sich von Insekten, die es im Flug fängt.

DER GRÜNSPECHT UND DIE MEISE

Sobald der Frühling kommt, hört man mitten im Vogelgesang das Tocktock der Spechte, die gegen die Baumstämme klopfen.

Der Grünspecht klopft gegen die Stämme, um Larven herauszulocken.

Die Meise baut ihr Nest in hohle, alte Bäume.

DIE AMSEL UND DER RABE

Die Amsel ist ein vertrauter Vogel in Gärten und Parks. Der Rabe lebt eher auf den Feldern. Er nistet hoch oben in den Bäumen.

Bei Tagesanbruch beginnt die Amsel zu singen.

Im Frühling pickt der Rabe gerne die ausgesäten Getreidekörner auf.

DIE ELSTER

Die Elster gehört zur selben Familie wie die Amsel und der Rabe. Sie hat jedoch schöne weiße Flecken im Gefieder und einen langen Schwanz.

Die Elster stiehlt oft Eier aus den Nestern anderer Vögel.

Sie mag alles, was glänzt. Sie stiehlt sogar Schmuck.

DER SPERLING

Der kleine Sperling oder Spatz ist bei den Gärtnern nicht sehr beliebt, weil er im Frühjahr am liebsten die jungen Triebe der Bäume frisst.

Spatzen leben nicht allein, sondern immer in Kolonien.

Der Spatz frisst gerne Weintrauben.

DIE SCHWALBE

Die Rückkehr der Schwalben wird ungeduldig erwartet,
denn sie kündigt den Frühling und damit schönere Tage an.

Die Schwalbe baut ihr Nest unterhalb der Dächer.

Am Ende des Sommers fliegen die Schwalben in wärmere Länder.

DIE PAPAGEIEN

Im Allgemeinen werden Papageien sehr alt. Einige von ihnen können sogar Wörter und Laute nachahmen.

Papageien haben einen großen Kopf und einen gebogenen Schnabel.

Sie lassen sich im Vogelhaus leicht zähmen.

DER STRAUSS

Der Strauß ist der größte lebende Vogel. Er wird bis zu 150 kg schwer. Wegen seiner zurückgebildeten Flügel kann er aber nicht fliegen.

Er kann sehr schnell laufen und erreicht dabei bis zu 70 km/h!

Das Weibchen legt etwa 15 Eier in ein einfaches Erdloch ab.

DIE PINGUINE

Obwohl sie nicht so aussehen, sind Pinguine dennoch Vögel. Sie können allerdings nicht fliegen, ihre Flügel benutzen sie als Ruder.

Sie springen gerne ins Wasser, um Fische zu jagen.

Die Pinguinmutter legt ein einziges Ei, das der Pinguinvater ausbrütet.

DER ADLER

Der Adler ist ein Greifvogel, der vom Menschen stark bejagt wurde. Er sieht sehr gut und kann daher seine Beute schon von weitem erkennen.

Der Adler baut sein Nest in den Felsen der Hochgebirge.

Er ist ein guter Jäger und greift die Beute mit seinen Krallen.

DIE EULEN

Eulen jagen vor allem nachts. Tagsüber schlafen sie.
Sie können sehr gut sehen und hören.

Der Uhu ist gut an seinen aufgestellten Ohrfedern zu erkennen.

Die Eulen ernähren sich von Ratten, Kaninchen und Fröschen.

DER PELIKAN

Am Unterschnabel des Pelikans hängt ein dehnbarer Kehlsack. Der Pelikan benutzt ihn beim Fische fangen als Schöpfwerkzeug.

Das Junge frisst Fische aus dem Kehlsack seiner Mutter.

Der Pelikan hat große, kräftige Flügel.

DER FLAMINGO

Er bevorzugt wärmere Gebiete. Seine Farbe stammt von kleinen Krebstieren, von denen er sich ernährt und die rote Farbstoffe enthalten.

Der schwere Flamingo muss zum Fliegen Anlauf nehmen.

Mit seinem Schnabel filtert er kleine Krebstiere aus dem Wasser.

DER STORCH

Wenn dieser große Vogel mit dem langen roten Schnabel aus dem Süden zurückkehrt, weiß jeder, dass der Frühling nicht mehr weit ist.

Er baut sein Nest häufig auf Schornsteinen.

Am Ende des Sommers verlässt er Europa und zieht nach Afrika.

DER SCHWAN

Schwäne sind sehr schöne Vögel. Sie leben auf Seen und Teichen und ernähren sich von Gras, Fischen und jungen Fröschen.

Die Männchen sind sehr aggressiv und werden leicht wütend.

Die Weibchen bauen ihr Nest im Schilf oder am Ufer.

DAS KROKODIL

Das Furcht erregende Krokodil ist recht faul. Es verbringt die Zeit damit, unbeweglich im Wasser auf Beute zu warten.

Gleich nach dem Schlüpfen bringt die Mutter ihre Jungen ins Wasser.

Das Krokodil gleitet lautlos durch das Wasser.

DAS CHAMÄLEON

Das Chamäleon ist eine Echse und lebt vorwiegend in den Bäumen. Es kann seine Farbe je nach Stimmung ändern.

Wenn sich das Chamäleon häutet, fällt seine Haut in Fetzen ab.

Es fängt die Beute mit seiner Zunge, die es blitzschnell ausrollt.

DAS NILPFERD

Das Nilpferd verbringt seine Zeit im Wasser. Es kann gut schwimmen, marschiert aber auch auf dem Grund des Flusses entlang.

Nachts ist es unterwegs, um Gras zu fressen.

Tagsüber bleibt das Nilpferd zum Schutz vor der Hitze im Wasser.

DAS NASHORN

Dieses große Tier kann sehr schnell laufen, wenn es wütend ist. Aber es sieht sehr schlecht und rammt deshalb manchmal Bäume.

Manche Vögel picken das Ungeziefer vom Rücken des Nashorns.

Vom Aussehen her gleicht das Nashorn einem Dinosaurier.

DIE GAZELLEN

Gazellen haben einen schlanken Körper und lange, dünne Beine. Sie sind die bevorzugte Beute von Raubkatzen wie z. B. Löwen und Pantern.

Gazellen ernähren sich vor allem von den Blättern der Bäume.

Bei Gefahr flüchtet die Gazelle mit weiten Sprüngen.

DAS ZEBRA

Zebras gleichen kleinen Pferden, die einen schwarz-weiß gestreiften Schlafanzug angezogen haben. Jedes Zebra hat unterschiedliche Streifen.

Im Kampf gegeneinander richten sich die Männchen auf.

Sein gestreiftes Fell macht es dem Zebra leicht, sich zu verstecken.

DIE GNUS

Gnus leben in Herden. Sie können tagelang laufen, um Wasser und Weidegras zu finden.

Beim Durchqueren der Flüsse fallen sie oft Krokodilen zum Opfer.

Sie haben einen länglichen Kopf. Ihre Hörner erinnern an die der Kuh.

DER ELEFANT

Der Elefant gehört zu den größten Tieren der Welt und kann hundert Jahre alt werden. Oft wird er wegen seiner Stoßzähne aus Elfenbein gejagt.

Sein Rüssel ist ein vielseitiges Werkzeug. Er benutzt ihn wie eine Hand.

Er braucht Wasser, um sich zu erfrischen und Insekten zu vertreiben.

DIE GIRAFFE

Die Giraffe ist das höchst gewachsene Tier der Erde und lebt in Herden. Bei Gefahr kann sie bis zu 50 km/h schnell werden.

Ihre Beine sind so lang, dass sie sie beim Trinken spreizen muss.

Mit ihrem langen Hals erreicht sie auch die obersten Blätter.

DER LÖWE

Der Löwe ist der König der Tiere. Er lebt in einem Rudel aus mehreren Weibchen mit deren Jungen und zwei oder drei Männchen.

Die Löwin hütet ihre eigenen Jungen und die anderer Löwenmütter.

Sie trägt die Jungen im Maul, wenn sie sie wegbringt.

SCHÖNE GROSSKATZEN

Diese Tiere mit muskulösem Körper und schönem Fell sind Fleischfresser. Ihre Zähne und Krallen sind stark entwickelt.

Der Gepard ist das schnellste Tier der Welt.

Der Leopard schleppt seine Beute oft auf einen Baum.

DAS KAMEL

Durch das Fett in seinen Höckern braucht das Kamel mehrere Tage lang nicht zu fressen.

Das Dromedar ist ein Kamel mit nur einem Höcker.

Es ist zäh und kann einen ganzen Tag ohne Pause laufen.

DER WÜSTENFUCHS

Dieser kleinste Vertreter der Familie der Füchse wird auch Fennek genannt. Er hat große Ohren, kurze, haarige Beine und lebt in der Wüste.

Zum Schutz vor der Hitze lebt er in einem unterirdischen Bau.

Nachts begibt sich der Wüstenfuchs auf Nahrungssuche.

DER TIGER

Der Furcht erregende Tiger ist die größte Raubkatze. Er jagt vor allem nachts und kann bis zu 40 kg Fleisch auf einmal fressen.

Auf der Jagd nach Beute springt der Tiger auch ins Wasser.

Der Sibirische Tiger hat ein helleres und dichteres Fell.

DIE GROSSAFFEN

Die Großaffen sind die nächsten Verwandten des Menschen. Ihr Verhalten und ihre Reaktionen lassen vermuten, dass sie intelligent sind.

Der Orang-Utan mag am liebsten Früchte, frisst aber auch Blätter.

Bei den Orang-Utans hat nur das Männchen einen mächtigen Kopf.

ANDERE AFFENARTEN

Zum größten Teil leben die Affen in den Wäldern warmer Regionen. Sie ernähren sich meist von Früchten, Blättern und Insekten.

Junge Schimpansen sind leicht zu zähmen.

Das winzige Pinseläffchen passt in eine hohle Hand.

DER GROSSE AMEISENBÄR

Der Große Ameisenbär ist stark behaart. Mit seinen scharfen Vorderklauen bricht er die Termitennester auf.

Mit seiner langen, klebrigen Zunge fängt er die Ameisen und Termiten.

Er schläft in einem Erdloch und deckt sich mit dem Schwanz zu.

DER KOALA

Er ernährt sich von Eukalyptusblättern, die ihm nicht allzu viel Energie geben. Deshalb bewegt er sich nur langsam und schläft viel.

Er trinkt nie. Die Eukalyptusblätter stillen seinen Durst.

Der Koala kann an einen Baum geklammert schlafen.

DAS KÄNGURU

Das Känguru ist wie der Koala ein Beuteltier: Das winzig kleine Junge entwickelt sich im Beutel der Mutter weiter.

Das Känguru kann bis zu 4 m weite Sprünge machen.

Das Junge verlässt den Beutel nur für kurze Zeit.

DIE BOA

Diese große Schlange greift nicht nur kleine Vögel, sondern auch große Tiere an. Sie kann sehr gut schwimmen.

Die Boa ist sehr kräftig. Sie tötet ihre Beute, indem sie sie erwürgt.

Wie alle anderen Schlangen streift sie regelmäßig ihre Haut ab.

DIE RINGELNATTER UND DIE VIPER

Die Natter ist nicht gefährlich. Das Gift der Viper aber, das in langen Zähnen in ihrem Maul sitzt, kann tödlich wirken.

Die Viper ist leicht an dem V auf ihrem Kopf zu erkennen.

Die Natter lebt in feuchten Gebieten, an Seen oder Weihern.

DIE GÄMSE

Die Gämse ähnelt einer großen Ziege. Sie ist nur selten zu sehen, da sie schon beim geringsten Geräusch schnell wegläuft.

Die Gämse lebt im Hochgebirge.

Sie ist sehr geschickt. Mühelos springt sie von Fels zu Fels.

DER STEINBOCK UND DER MUFFLON

Beide Tiere leben im Gebirge, manchmal in großer Höhe. Die Männchen haben die längsten Hörner.

Der Mufflon ist sehr gewandt und klettert auf die steilsten Abhänge.

Die Männchen kämpfen um die Gunst der Weibchen.

DAS MURMELTIER

Im Sommer hört man im Gebirge oft sein Pfeifen. Wenn es nicht gerade Gras oder Blumen frisst, liegt es gerne zum Aufwärmen in der Sonne.

Bei der geringsten Gefahr sucht es Schutz im Inneren seines Baus.

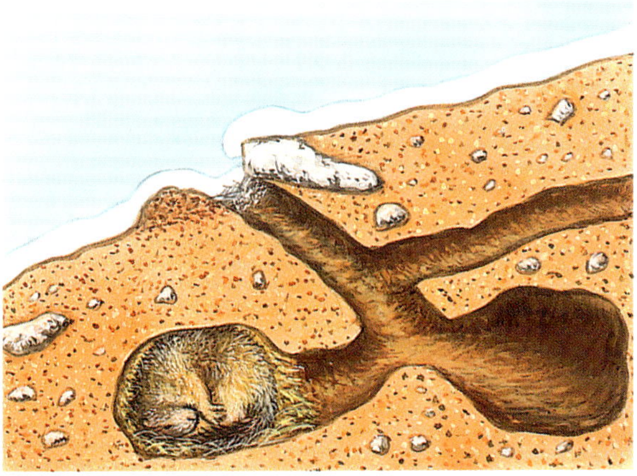

Im Winter verschließt es den Eingang und schläft dort im Warmen.

DIE BIENEN

Bienen leben als Volk zusammen, mit einer Königin, die ständig Eier legt, und Arbeiterinnen, die pausenlos im Bienenstock oder draußen tätig sind.

Um Honig zu gewinnen, hält sie der Imker in Bienenstöcken.

Die Bienen fliegen zu den Blumen, um den Nektar zu sammeln.

DIE WESPEN

Wespen und Bienen gleichen sich, aber die Wespen sind etwas schlanker. Beide stechen mit ihrem Stachel.

Hornissen sind sehr große Wespen. Sie nisten in hohlen Bäumen.

Im Frühling bauen die Wespen ihr Nest.

DIE AMEISEN

Von allen Insekten auf der Welt sind die Ameisen am zahlreichsten. Sie leben in Kolonien, in denen jede eine bestimmte Aufgabe hat.

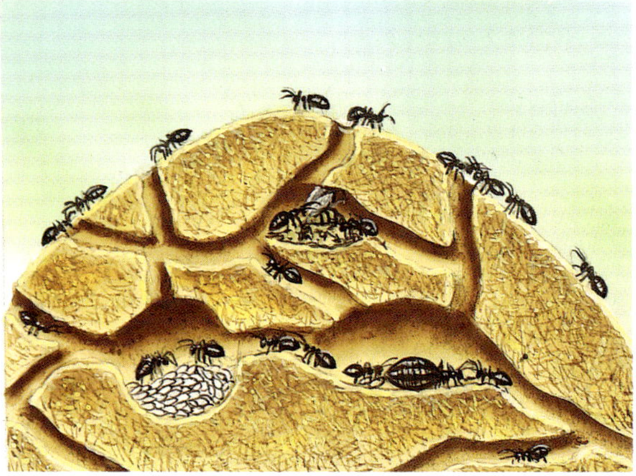

Die Ameisen leben in einem Ameisenhaufen.

Alles, was sie sammeln, wird zum Ameisenhaufen gebracht.

DER MARIENKÄFER

Dieses Insekt ist sehr nützlich, weil es schädliche Insekten frisst und daher Insektenbekämpfungsmittel unnötig macht.

Der Marienkäfer ernährt sich hauptsächlich von Blattläusen.

Er hat ein Paar robuste Deckflügel, darunter befinden sich feinere Flügel.

DIE HEUSCHRECKE

Die Heuschrecke lebt nur den Sommer über. Sie mag die Wärme und zirpt gerne in der Sonne. Sie lebt mitten im Gras der Felder.

Am Ende des Sommers legt sie ihre Eier ab. Dann stirbt sie.

Wanderheuschrecken können ganze Felder zerstören.

EINIGE INSEKTEN

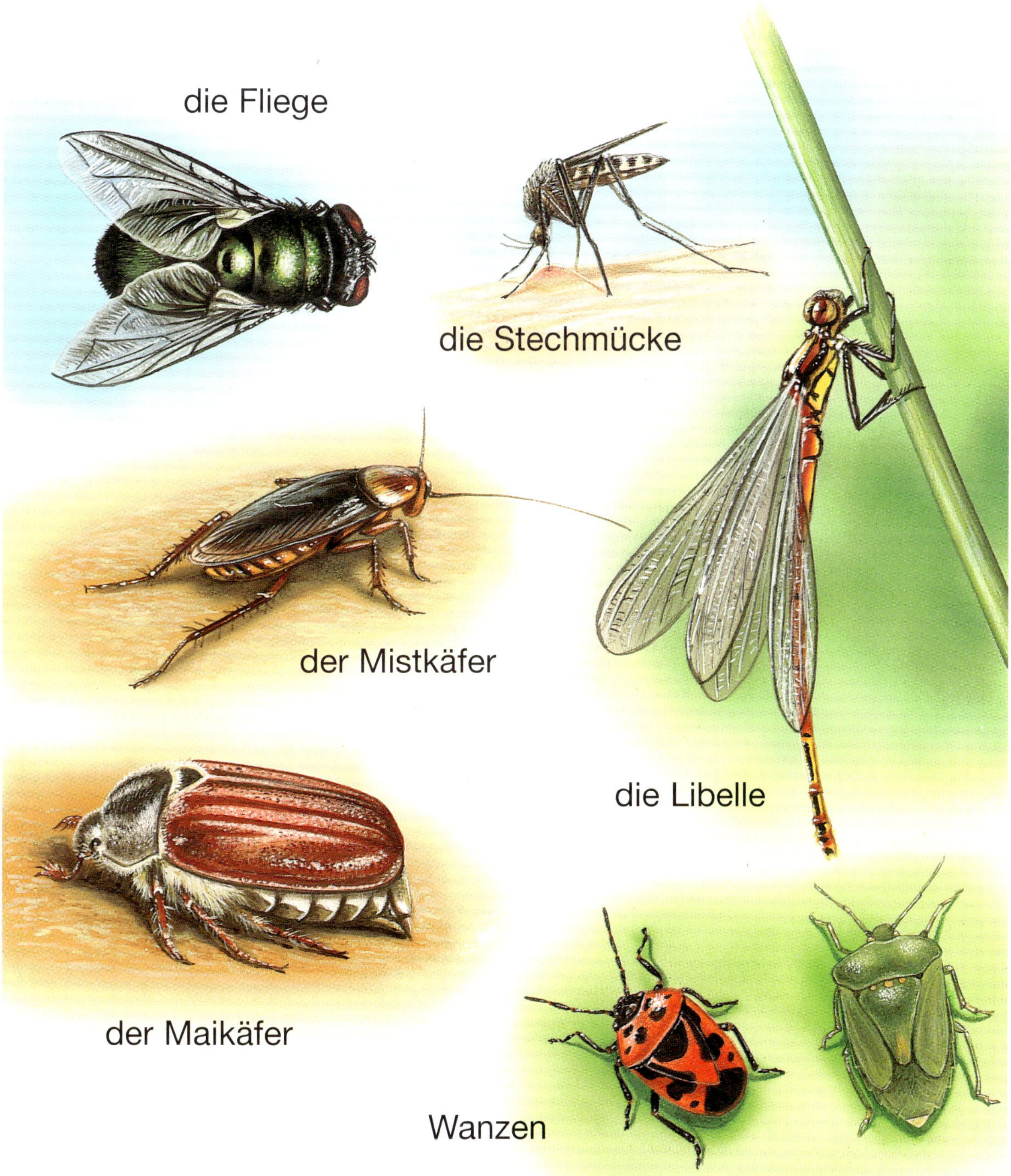

DIE SPINNE UND DER SKORPION

Spinnen und Skorpione gehören zu den Spinnentieren.
Sie haben jeweils vier Beinpaare, während die Insekten nur drei haben.

Um ihre Beute zu fangen, webt die Spinne ein Netz.

Einige Spinnen können sogar Mäuse fangen.

SÜSSWASSERFISCHE

SALZWASSERFISCHE

DIE WALE

Wale gehören zu den Meeressäugern. Einige wie der Pottwal haben Zähne, andere wie der Blauwal haben Barten.

Der Pottwal hat einen riesigen Kopf. Er taucht in große Tiefen hinab.

An der Wasseroberfläche bläst der Wal Luft mit Wasser aus.

DIE HAIE

Einige Haie wie der Weißhai sind gefährlich, andere wie der Walhai, der größte Fisch überhaupt, sind völlig harmlos.

Die Zähne des Weißhais sind sehr scharf.

Trotz seiner Größe frisst der Walhai nur kleine Krebstiere.

DIE DELFINE

Delfine sind sehr intelligente Säugetiere. Sie haben gerne Kontakt zu den Menschen. Sie ernähren sich von Fischen und Tintenfischen.

Sie sind echte Akrobaten und können erstaunliche Sprünge machen.

Oft verfangen sie sich in den Netzen der Fischer und ertrinken.

DER KRAKE

Der Krake besitzt acht Tentakel, das sind lange Arme mit Saugnäpfen, mit deren Hilfe er sich bewegt und seine Beute fängt.

Der Krake hängt die Eier an die Decke seiner Höhle. Bis zum Schlüpfen der Jungen verlässt er sie nicht mehr und nimmt keine Nahrung auf.

EINIGE KRUSTENTIERE

EINIGE MUSCHELN

TIERE AUF DEM PACKEIS

Das Walross ist gut an seinen Stoßzähnen zu erkennen, der See-Elefant an seiner eigenartigen Nase in Form eines Rüssels.

An Land ist der Seehund behäbig, im Meer aber ein exzellenter Schwimmer.

Mit seinen sehr starken Stoßzähnen zieht sich das Walross aufs Eis.

DER EISBÄR

Der Eisbär lebt in sehr kalten Gebieten. Er ist durch eine dicke Fettschicht und ein dichtes Fell vor der Kälte geschützt.

Er jagt vor allem Seehunde, die er mit seinen Pranken tötet.

Er verbringt viel Zeit im Wasser. Er ist ein guter Schwimmer.

DIE RENTIERE

Das Rentier wird in Nordamerika Karibu genannt. Rentiere leben in Herden und wandern mehrmals im Jahr auf der Suche nach Nahrung umher.

Bei der Nahrungssuche gräbt es mit dem Geweih den Boden um.

Lange Zeit zogen die Rentiere die Schlitten.

DIE KATZEN

Neben den Hauskatzen, die bei den Menschen leben, gibt es auch wilde Katzen, die in den Wäldern zu Hause sind.

Katzen gehören zur selben Familie wie die Raubkatzen. Obwohl sie gezähmt sind, haben sie ihren Jagdinstinkt nicht verloren.

EINIGE KATZEN

DIE HUNDE

Hunde waren die ersten Tiere, die gezähmt wurden.

Die Hunde stammen vom Wolf ab. Die verschiedenen Rassen wurden vom Menschen gezüchtet.

Hunde werden dressiert, um anzugreifen, Drogen zu finden oder Leben zu retten.

Einige Hunde helfen den Hirten, Schafe zu hüten und sie im Gebirge zu bewachen.

EINIGE HUNDE

DIE SCHILDKRÖTEN

Es gibt sowohl Land- als auch Meeresschildkröten. Die Landschildkröten fressen Gras und Blätter, die Meeresschildkröten Algen und Quallen.

Die Lederschildkröte ist die größte aller Meeresschildkröten.

Die Meeresschildkröten legen ihre Eier immer am selben Strand ab.

DAS MEERSCHWEINCHEN

Das Meerschweinchen ist ein liebevolles und ängstliches Nagetier, das sich gerne streicheln lässt. Es ist ein anhänglicher Spielkamerad.

Es ist sehr sauber und nimmt sich viel Zeit zum Putzen.

Im Freien bewegen sich die Jungen zwischen den Eltern.

EINIGE DINOSAURIER

Diese Tiere sind vor 65 Millionen Jahren ausgestorben. Einige – wie der riesige Diplodocus und der merkwürdig

aussehende Stegosaurus – fraßen nur Pflanzen, andere wie der Furcht erregende Tyrannosaurus rex ernährten sich von Fleisch.

DIE MAMMUTS

Sie glichen riesigen Elefanten und lebten zur Zeit der prähistorischen Menschen in den weiten vereisten Ebenen.

Das Fleisch der Mammuts war ein wichtiger Teil der Ernährung der Menschen.

Die prähistorischen Menschen benutzten ihre Knochen und Stoßzähne zum Hausbau.

Register